POTENCIAL

EL PODER SECRETO

DEL DIEZ

DR. KEITH JOHNSON

PoTENcial: El poder secreto del diez.

© Copyright 2018-Keith Johnson, PhD

KJI Publishing
PO Box 15001
Spring Hill, Florida 34604
(352) 597-8775

Visita nuestro sitio web: **empoderatuiglesia.com**

Diseño de portada por: Kerry Esser
Traducido por: Juan Pacheco

ISBN: 978-1-7323684-4-6

Para distribución mundial, impreso en EE. UU.

1 2 3 4 5 6/21 20 19 1

OTROS LIBROS DEL DR. KEITH JOHNSON

Manifiesto de la Confianza —Guía de 30-días para Elevar tu Confianza y Desatar tu Potencial.

La Solución CL —Influencia, Impacto e Incremento.

Confianza para Sobreabundar —Desatando los Recursos ilimitados de Dios para tu vida.

Líderes de Destino —El arte de convertir tus sueños en realidad.

POTENCIAL

EL PODER SECRETO DEL DIEZ

Sabes que casi 10,000 iglesias cierran sus puertas cada año? Y más de 1,700 pastores se están retirando del ministerio cada mes porque están muy mal pagados, menospreciados y simplemente agotados. Mientras tanto, 3,500 personas abandonan la Iglesia diariamente para encontrar un equilibrio más sano entre la espiritualidad y el éxito.

¿POR QUÉ están sucediendo todas estas cosas?

Porque muchas personas están perdiendo lentamente la batalla por la libertad financiera. El estrés financiero es la causa principal de la mayoría de las luchas matrimoniales, el divorcio, la depresión, la baja autoestima y la inseguridad en nuestros hijos, la obesidad y las enfermedades del corazón y es la causa número uno de muerte.

Los gurús financieros de hoy se mantienen repitiendo soluciones que funcionaron en la década de los 80´s, con ideas obsoletas que crean una mentalidad tímida y de escasez en lugar de una mentalidad de confianza para la abundancia financiera.

Los consejos tradicionales de vivir por debajo de nuestros medios son imposibles de cumplir cuando la mayoría de las personas se encuentran con $7,000 en déficit cada año y en realidad comienzan cada año con problemas financieros. ¿Un nivel de vida decente significa deuda del consumidor? ¿Cómo puede la gente trabajadora "AHORRAR" cuando el 76 por ciento de ellos está viviendo de cheque a cheque? Si este consejo de la vieja escuela ya no funciona para la clase media, ¿qué esperanza hay para los pobres?

¿Hay alguna solución nueva y fresca para cambiar esta crisis para individuos, familias, pastores, iglesias enteras? ¡Sí! ¡El poder sobrenatural del diez!

Soy el Dr. Keith Johnson y tenía más de $180,000 en deuda del consumidor. Estuve viviendo con mi esposa en la habitación libre de mi suegra. No tenía dinero en el banco y también debía $15,000 más por mi automóvil viejo, usado y destartalado era más de lo que valía. Hoy, sin ir a la bancarrota, estoy libre de deudas y soy conocido en todo el mundo como el Coach de la Confianza # 1 de América. La verdad es que, en esa época de crisis económica hace años, había perdido totalmente mi confianza en Dios, en mí mismo y en los demás.

La mía no es la historia típica de la pobreza a la riqueza. En realidad, la mayoría del éxito no se logra así de todos modos. El éxito rara vez es una línea recta, incluido el mío. Mi historia es de harapos a la riqueza, de vuelta a los harapos y luego a la historia de la libertad financiera duradera. En el camino descubrí muchos principios que me catapultaron de una temporada a otra, siempre mejorando y avanzando hacia el logro de mis metas.

Pero este libro trata de un principio primario fundamental. Uno que ha funcionado para muchos santos y pecadores por igual. Uno que Dios ha honrado desde el principio de los tiempos. Practicarlo ha hecho fortuna a la gente y descuidarlo ha sido la ruina de muchos más.

Estaba asistiendo a la Universidad Ball State en Muncie, Indiana, conocido en ese momento como la escuela número uno en los Estados Unidos. Fui miembro de la fraternidad Sigma Pi Epsilo, también conocida como la fraternidad número uno del partido. Jugábamos rugby todos los sábados por la mañana y un sábado, después de una noche de viernes de fiesta, me di cuenta de que había olvidado mis zapatos de tacos. Salté rápidamente en mi motocicleta Honda 750 Nighthawk y corrí de vuelta por las calles de Muncie a 65 millas por hora, en una zona de 30 millas por hora.

Desde la calle lateral, un automóvil se estacionó frente a mí. Mi motocicleta se estrelló contra el guardabarros delantero del auto y me lanzó a lo que se sintió como 50 pies en el aire. Mientras estaba en el aire, sucedió algo que nunca olvidaré. Una gran mano apareció, como un guante de Mickey Mouse, se deslizó debajo de mi trasero y me sentó en la acera.

Me desmayé del trauma y cuando me desperté, pensé con seguridad que realmente me había lastimado. Sin embargo, me levanté y en realidad me fui sin lesiones. Sabía que Dios me había salvado sobrenaturalmente la vida. Y para ser sincero, este evento me asustó muchísimo. ¡Literalmente!

A raíz de eso, algo dentro de mí decía que tenía que dejar mi estado natal de Indiana y mudarme a Florida. Sabía por dentro que, si no me alejaba de mi familia y amigos, nunca sería capaz de cambiar mi vida para bien. Obedecí ese sentimiento.

Dejar todo atrás fue realmente difícil. Pasé de fiestas divertidas y salvajes todas las noches a vivir en un lugar diferente sin conocer a nadie. Tenía 22 años de edad, solitario, soltero y viviendo en un parque de casas rodantes en un tráiler destartalado de la quinta rueda. El horno funcionaba, pero no la parrilla.

La lavadora estaba rota, pero la secadora funcionaba, así que lavaba la ropa en el lavabo.

Mi motocicleta fue destruida en el naufragio, entonces compré un auto viejo por $800. Funcionó bien, pero no tenía aire acondicionado. Cuando conduje a mi primera entrevista de trabajo, estaba a 107 grados. Cuando llegué, me había empapado varias capas de ropa y parecía que había una nube pesada, húmeda y oscura que me rodeaba. Mientras esperaba encontrarme con el entrevistador, comencé a perder toda esperanza para el futuro. Afortunadamente, conseguí ese trabajo en la primera entrevista, en una tienda de ropa para hombres en el centro comercial local. ¡El tipo de lugar para mí!

Durante mi estadía allí, alguien me recomendó un libro que me enseñó sobre vivir y dar o lo que yo llamo, el poder del diez. El libro prometía todo tipo de cambios increíbles que podrían sucederle a la persona dispuesta a comprometerse con este concepto de dar.

PARADIGMA DEL POTENCIAL

LA VIDA TRATA ACERCA DE DAR

Después de implementar el poder del diez en mi vida joven, me sorprendió lo rápido que las cosas empezaron a cambiar para mí. Dos semanas después, un cliente habitual entró a la tienda de ropa y me ofreció un trabajo que pagaba cuatro veces más de lo que ganaba. Incluso incluía un auto nuevo de la compañía, ¡con aire acondicionado!

Un mes después de eso, Dios trajo una amiga cristiana a mi vida. Una influencia real y positiva. Hoy, me enorgullece decir que he estado casado con esa joven durante más de veintiséis años. Mis días rotos, solitarios y miserables se fueron para siempre. Le agradezco a Dios por mi compañero de trabajo que compartió ese libro conmigo, ya que fue la base sobre la que he construido una vida aún más segura y satisfactoria.

Una palabra que se volvió importante para mí en ese momento fue la palabra potencial. Una gran palabra. Significa la posibilidad de poder. Sabía que para poder alcanzar todas las posibilidades que Dios tenía para mí, tenía que aprovechar el poder del diez. ¿Cómo lo sé? ¡La palabra poTENcial tiene la palabra TEN incrustada en ella! (TEN que en inglés traducido al español significa diez) Creo que hay semillas de gran poder en este principio y Dios está tratando de despertarnos a esta realidad.

Cuando me comprometí con el poder del diez, solo ganaba $100 por semana. No tenía nada que perder. Así que el domingo, entré a la iglesia luterana al otro lado de la calle del parque de casas rodantes y esperé a que llegara la cesta de la ofrenda. Todavía recuerdo lo difícil que fue dar mi primer 10 por ciento, un billete de diez dólares.

Los pensamientos inundaban mi mente. Podría usar esos diez dólares para comprar gasolina, pan y mantequilla de maní para el almuerzo esta semana. ¿Por qué esta iglesia necesita mi dinero? Parece que lo están haciendo bastante bien sin este dinero. Sin embargo, sabía que necesitaba un cambio, así que me arriesgué e intenté lo que decía el libro. Puse mis primeros $10 en la cesta.

Hoy, le agradezco a Dios que aprobé la primera pequeña prueba de administración financiera cuando puse ese billete de diez dólares en la cesta de ofrendas en esa iglesia luterana. Este acto de confianza estableció uno de los principios fundamentales de todos los éxitos que he experimentado en la vida.

PARADIGMA DEL POTENCIAL

CUANDO ERES FIEL EN CANTIDADES MÁS PEQUEÑAS, DIOS TE HARÁ RESPONSABLE SOBRE CANTIDADES MAYORES.

EL PODER DEL DIEZ

Cuando estudias las Escrituras, verás el número diez a lo largo del texto. ¿Por qué es eso? **Diez** en la numerología bíblica es el número de perfección y plenitud. **Diez** es también el número de un curso completado de tiempo o de plenitud en orden divino. Considera esto.

En la historia de la creación, encontrarás la frase "Dios dijo" **diez** veces. Más tarde, Dios le da a la humanidad **diez** mandamientos morales para vivir. Cinco de ellos pertenecientes a nuestra relación con Dios y los otros cinco relacionados con nuestra relación con la humanidad.

Cuando Dios creó a la humanidad, nos dio **diez** dedos de las manos y **diez** dedos de los pies. Curiosamente, según el rabino Daniel Lapin, la palabra hebrea para dinero se deletrea kuff, que en hebreo es tanto para la palma de tu mano como para la planta de tu pie. Sus dedos se curvan y se inclinan hacia la palma para que podamos usarlos para hacer el trabajo y crear cosas. Las palmas están, por lo tanto, relacionadas con la creación. La planta del pie se usa para mover y transportar cosas.

Cuando usamos las palmas para crear y nuestras plantas para llevar nuestra creación al mercado laboral, podemos ofrecer e intercambiar valor. (Secretos de negocios de la Biblia, Rabino Daniel Lapin, página 226.)

Algunos han dicho que el número **diez** es el final de un ciclo y el comienzo de otro ciclo. Esto es especialmente importante porque incluso en nuestras propias experiencias de vida, sabemos que la forma en que salimos de una temporada es cómo entramos en la siguiente. Cuando comencé a practicar el Poder del diez en mi propia vida, el viejo ciclo de carencia, miseria y golpes en la vida cesó y comenzó a surgir un nuevo ciclo.

UN SECRETO ANTIGÜO

Muchas de las personas más ricas de la historia han compartido una estrategia simple para edificar riqueza. Se llama ser un modelo. Ser un modelo es la idea de que el éxito deja pistas. Cuando ve algo que funciona para una persona, puedo modelar lo que esa persona hizo para lograr resultados similares. Por supuesto, esto no es nada nuevo. Podemos rastrear este concepto hasta el comienzo de la creación. Vemos a Caín y Abel en Génesis 4 llevando con confianza una ofrenda a Dios. Sin embargo, en ninguna parte de las Escrituras los hermanos reciben esa instrucción directa. ¿Por qué es eso? Porque sus padres, Adán y Eva, modelaron el acto de devolver a Dios.

Vemos en el Antiguo Testamento que el principio del poder del diez se convirtió en una obligación bajo la ley. Tanto si lo queríamos hacer o no, se nos requirió que ejerciéramos este principio. Pero algo sucedió Jesús vino y completó la obligación. Él pagó la cuenta. Algunos lo llaman el Nuevo Pacto, es decir, una promesa nueva e irrevocable de Dios para ti. Ya no tenemos que dar, podemos dar. Ahora tenemos la gracia de liberarnos de la avaricia, el egoísmo y la mezquindad para estar llenos de gratitud y dar y vivir generosamente. Dar es algo que Dios quiere para ti, no algo que Él quiere de ti.

PARADIGMA DEL POTENCIAL

DAR ES UNA PRUEBA DE QUE HAS CONQUISTADO LA CODICIA Y LA MENTALIDAD DE POBREZA.

Cuando busques las pistas del poder del diez, notarás algo sorprendente. La Escritura nos anima a saber que Dios no tiene favoritos. Lo que funciona para una persona, funciona para otra. Los principios divinos producirán resultados divinos para los judíos, los cristianos, los musulmanes e incluso para los que no tengan ninguna creencia. Dios es tan bondadoso con todos Sus hijos. Sus promesas son siempre sí y amén.

La historia está llena de personas que creyeron, aceptaron y practicaron lo que la Biblia revela acerca del poder del diez.

Se mencionan patriarcas como Abraham (Génesis 14:20), Jacob (Génesis 28:22) e incluso toda la nación de Israel. Todos los cuales se volvieron muy ricos.

El creyente que piensa en el Reino sabe que dar es la manifestación más alta de amor que cualquiera puede exhibir (Juan 3:16). Se requiere fe, confianza y acción para devolver una parte cuando Dios te ha bendecido.

PARADIGMA DEL POTENCIAL

EL PODER DEL DIEZ ES UN MULTIPLICADOR DE DINERO, NO ALGO QUE DISMINUYE DINERO

El acto de dar multiplica tu riqueza financiera 1,000 veces. Al igual que una semilla se multiplica cuando se siembra en el suelo, el dinero se multiplica cuando se da.

Las personas con una mentalidad de pobreza piensan que dar dinero es tirarlo. Ven el dar como: 100% - 10% = 90%. Esto es matemática lógica. Pero si tratas de calcular el diezmo matemáticamente o el poder del diez, quedarás desconcertado. Si crees, recibirás mucho más del 10 por ciento a cambio. Puede aparecer en efectivo o en personas, ideas y oportunidades nuevas que aparecen en tu vida de forma sobrenatural.

No importa dónde te encuentres hoy económicamente, si deseas llevar tu vida a tu máximo potencial de riqueza, es esencial que te comprometas a dar el 10 por ciento de tus ingresos. Dios promete multiplicar lo que das. Tú haces lo natural. Confía en Dios para hacer lo sobrenatural.

Recuerden lo siguiente: un agricultor que siembra solo unas cuantas semillas obtendrá una cosecha pequeña. Pero el que siembra abundantemente obtendrá una cosecha abundante. Cada uno debe decidir en su corazón cuánto dar; y no den de mala gana ni bajo presión, «porque Dios ama a la persona que da con alegría» Y Dios proveerá con generosidad todo lo que necesiten. Entonces siempre tendrán todo lo necesario y habrá bastante de sobra para compartir con otros. Como dicen las Escrituras: «Comparten con libertad y dan con generosidad a los pobres. Sus buenas acciones serán recordadas para siempre». Pues es Dios quien provee la semilla al agricultor y luego el pan para comer. De la misma manera, él proveerá y aumentará los recursos de ustedes y luego producirá una gran cosecha de generosidad en ustedes. (2 Corintios 9: 6-10 NTV).

PARADIGMA DEL POTENCIAL

LAS PERSONAS RICAS VEN DAR COMO
$100\% \times 10\% = 1,000\%$
ESTO ES MATEMÁTICA SOBRENATURAL

Esta es la matemática de la que habló Jesús cuando dijo que tu semilla tiene el potencial de producir 30, 60 y 100 veces por uno.

Tuve la suerte de pasar tiempo con uno de los hombres más ricos de Australia, el industrial Peter J. Daniels. Él dijo: "No puedes ser codicioso si das el diezmo".

A lo largo de los años, he notado que el poder del diez produce diez beneficios claves para quienes lo practican:

1. Ideas de billones y millones de dólares
2. Incremento financiero
3. Promociones de trabajo
4. Conexiones Divinas
5. Puertas abiertas
6. Protección Divina
7. Sanidad Divina
8. Planes estratégicos
9. Soluciones a problemas
10. Cambio Acelerado

Las siguientes son algunas historias que han forjado mi fe a través de los años. Son relatos de Dios honrando el poder del diez en la vida de las personas a lo largo de la historia. Algunos son cristianos creyentes en la Biblia y otros, bueno, tal vez no estamos tan seguros.

Una cosa que aprendí: Dios quiere revelar su naturaleza a todos. Aquellos que han descubierto este principio entienden que solo puede provenir de Dios. Al mirar detrás de la cortina de muchas personas económicamente ricas, el denominador común es que, cuanto más dan, más reciben.

JOHN D. ROCKEFELLER
EL PRIMER BILLONARIO

La primera persona en alcanzar el estatus de billonario fue un hombre que sabía cómo establecer metas y cumplirlas. Rockefeller, el fundador de Standard Oil, un bautista devoto y uno de los primeros billonarios de nuestra nación, dijo: "Nunca hubiera podido diezmar el primer millón de dólares que hice si no hubiera diezmado mi primer salario, que era de $1.50 por semana".

Él creía que la habilidad de ganar dinero era un don de Dios para ser desarrollado y utilizado con la mejor capacidad de uno y para el bien de la humanidad.

A la edad de 23 años, se había convertido en millonario; y para la edad de 50 años, un billonario. Cada decisión, actitud y relación fue diseñada para crear su poder y riqueza personal.

Esta verdad es compartida por su nieto, Nelson Rockefeller. Nelson Rockefeller dijo que cuando tenía 7 años recibió una mesada de 50 centavos por semana. pero le enseñaron a ahorrar cinco centavos y que los otros cinco centavos le pertenecían al Señor, su diezmo a Dios. Él dijo: "Nuestros padres nos hicieron sentir, desde una edad temprana, que teníamos que contribuir, no solo tomar".

HENRY FORD

En 1940, Perry Hayden, un molinero de trigo, escuchó un sermón sobre el poder del diez. Él decidió poner a Dios a prueba. Sembraría una pequeña cosecha de trigo y daría el 10 por ciento de la cosecha a la iglesia Quacker local. En una pequeña parcela de cuatro pies por ocho pies, Perry plantó un cultivo que pronto fue etiquetado como el campo de trigo más pequeño del mundo. Henry Ford había oído hablar de este experimento y quería participar. Año tras año, el campo de trigo más pequeño del mundo crecería milagrosamente una cosecha exponencial. Ford proporcionaría un segador, un trillador y parcelas de tierra más grandes para continuar el experimento.

Los hombres volverían a diezmar la cosecha a la iglesia cuáquera local. Al final del quinto año, los dos hombres estaban impactados ya que la cosecha trajo más de 5,000 fanegas de trigo.

J.L. KRAFT

J.L. Kraft fue director de Kraft Cheese Corporation, que donó aproximadamente el 25 por ciento de sus enormes ingresos a causas cristianas durante muchos años. Él dijo: "La única inversión que he hecho que ha pagado dividendos consistentemente cada vez mayores es el dinero que le he dado al Señor".

ANTHONY T. ROSSI

Anthony Rossi llegó a los Estados Unidos desde Italia en la década de 1920 como un adolescente, con nada más que la ropa que llevaba puesta. Una pareja cristiana se hizo amiga de él y a través de su amor, llegó a conocer a Jesús. Un domingo en la iglesia, oró: "Señor, si me das una idea para un negocio, seré fiel para dar una porción de todo lo que hago a tu obra".

Esa misma mañana, la idea de "zumo de naranja recién exprimido" se le vino a la mente. ¡Fundó la Tropicana Company y fue fiel al darle a Dios el 50 por ciento de sus ingresos durante 60 años!

HENRY P. CROWELL

¿Te suena familiar el nombre Henry P. Crowell? ¿Qué hay de la compañía que fundó, Avenas Quaker? Cuando era un joven, Crowell escuchó un sermón de Dwight L. Moody e hizo un notable compromiso con el Señor. Él dijo: "No puedo ser un predicador, pero puedo ser un buen hombre de negocios". Oró, "Si me permitieras ganar dinero, lo usaré en Tu servicio".

Compró una pequeña fábrica decadente llamada Quaker Mill y el resto es la historia del desayuno. No solo diezmó fielmente, sino que se informó que dio mucho más allá del diezmo y financió la misión del Evangelio durante más de 40 años.

WILLIAM COLGATE

Colgate leyó la historia del Antiguo Testamento del voto de Jacob. Cuando Jacob se fue de su casa, dijo: "Si Dios está conmigo y me cuidará en este viaje que estoy tomando y me diera comida y ropa para que regrese sano y salvo a la casa de mi padre, entonces el Señor será mi Dios... y de todo lo que tú [Dios] me des, te daré la décima parte" (Génesis 28:20-22).

El voto de Jacob desafió a Colgate. Hizo un voto similar; él determinó darle a Dios el primer lugar en su vida, y también prometió darle una décima, el diezmo de sus ganancias a Dios.

Colgate nunca olvidó su promesa a Dios. Desde el primer dólar que ganó, dedicó el 10 por ciento de sus ganancias netas a benevolencia. A medida que prosperó, instruyó a sus contadores para aumentar la cantidad a 20 por ciento y más tarde a 30 por ciento. Parecía que cuanto más daba, más prosperaba.

William Colgate y Compañía tuvo éxito desde el comienzo. En 6 años, agregó la fabricación de almidón a su negocio de jabón para lavar ropa. Más tarde, también produjo jabón de manos y una variedad de jabones para tocador y afeitado.

Colgate vio, en su negocio, el cumplimiento de la promesa hecha a los que pagan el diezmo de que Dios "abriría las compuertas del cielo y derramaría tanta bendición que no tendrás suficiente espacio para ello" (Malaquías 3:10).

¿OPRAH Y KIM KARDASHIAN?

Oprah ha donado al menos el 10 por ciento de su ingreso anual a lo largo de su vida adulta. Incluso Kim Kardashian afirma que ha estado dando el 10 por ciento de sus ingresos desde una edad temprana. Los dos fundadores de Holiday Inn, Wallace Johnson y Kemmons Wilson; Thomas Welch del jugo de uva de Welch; y David Green, fundador de Hobby Lobby, también son ejemplos de hombres y mujeres que se comprometieron con el poder del diez. Al hacerlo, cosecharon miles de millones de dólares y han tenido un impacto en nuestra sociedad por generaciones.

ALEXANDER KERR, FABRICANTE DE FRUIT JAR

En 1902 Alexander Kerr era un nuevo creyente. Quería creer en las cosas espirituales de Dios, pero como muchos de nosotros, quería pruebas.

Kerr leyó Génesis 28:22, "De todo lo que me des, seguramente te daré la décima parte", y llegó a comprender que Jacob hizo esta promesa a Dios, y veinte años más tarde, se registra que

Jacob es uno de los hombres más ricos. en el Medio Oriente.

Inspirado por lo que leyó, Kerr hizo la misma promesa. En ese momento él estaba sumergido, ahogándose en una obligación financiera sin muchas perspectivas de cambio. Pero él mantuvo su promesa a Dios.

Ese año, sin mucho capital de trabajo, Alexander Kerr lanzó Kerr Glass Manufacturing Company. Rápidamente se convirtió en el mayor fabricante de frascos de fruta en los Estados Unidos.

Después de invertir cada centavo en su incipiente negocio, su planta de fabricación fue sumida en el gran terremoto de San Francisco. Él telegrafió a su equipo en San Francisco para una actualización. Se enteró de que la fábrica estaba en el corazón del fuego y que el calor era tan intenso que tomaría días saber de la verdadera situación y mucho más que eso.

Kerr se aferró a Malaquías 3:11, "Yo reprenderé al devorador por tu causa, y él no destruirá los frutos de tu tierra". Armado con este versículo, tomó un tren a la ciudad.

La fábrica era una gran instalación de dos pisos construida con madera que contenía tanques de aceite que producían 2500 grados de calor para derretir y dar forma a los cristales de los frascos.

¡Kerr podría haber sido el propietario de las instalaciones más inflamables de la ciudad!

Sin embargo, después de llegar a San Francisco, Kerr caminó por su propiedad para descubrir que el fuego que recorría kilómetros en todas direcciones ascendió hasta su valla que rodeaba su fábrica, pero ni siquiera tocó su valla de madera. No solo su fábrica quedó intacta en un área quemada por las llamas, sino que ningún frasco de vidrio se vio afectado por el terremoto o un incendio.

Kerr estaba tan conmovido por todo lo que Dios había hecho en su promesa de honrar el poder del diez, que comenzó a imprimir panfletos y distribuirlos. Hasta el día de hoy, su enseñanza sobre el tema del diezmo ha viajado por todo el mundo.

JACK CANFIELD, COAUTOR DE SOPA DE POLLO PARA EL ALMA

"Diezmar es el secreto de prosperidad mejor guardado que existe". -MARK VICTOR HANSEN, CO-AUTOR, SERIE SOPA DE POLLO PARA EL ALMA

Con más de 500 millones de copias vendidas, los autores Jack Canfield y Mark Victor Hansen fueron los titulares del Libro Guinness del récord mundial de su serie de libros, Sopa de pollo para el alma. Hace años asistí a una conferencia de escritores organizada por estos dos autores. En una de las sesiones de Jack contó la historia de cómo se le ocurrió el título brillante del libro.

Una tarde, Jack salió a caminar por el bosque y levantó la vista como para decirle a Dios: "Por favor, ayúdame con un título para este libro. Tenemos una fecha límite." Sintió como si escuchara una voz que preguntó: "Cuando eras niño y te enfermabas, ¿qué te daba tu mamá para que tu cuerpo se sintiera mejor?". Él respondió: "Sopa de pollo con fideos" .... Entonces cayó en la cuenta, "¡Eso es! Estamos brindando aliento y sanidad para que el alma se sienta mejor. Vamos a llamarlo Sopa de pollo para el alma".

PARADIGMA DEL POTENCIAL

EL PODER DEL DIEZ NO SE TRATA DE LA MÁQUINA TRAGA MONEDAS SOBRENATURALES EN EL CIELO. MÁS BIEN, EL PODER DEL DIEZ LIBERA IDEAS MULTIMILLONARIAS DEL CIELO, SI LAS PIDES.

ACTOR / LEYENDA DEL HIP-HOP LL COOL J

"Cada centavo que recibo, sin importar de qué se trate, le doy el diez por ciento a la iglesia. Soy un diezmador de por vida. Creo firmemente en dar. Creo que debes tener esa fe. Y lo he visto funcionar en mi vida, porque a la gente del mundo le gusta tomarse el mérito y afirmar ser genios, al final del día hay un poder superior al tuyo, y debes responder a ese poder", Dijo el famoso LL Cool J.

EL MARISCAL DEL CAMPO O QUARTERBACK DE LA NFL DEREK CARR

En la temporada de fútbol del 2017 al 2018, el mariscal de campo Derek Carr tenía el récord del jugador mejor pagado de la historia de la NFL, después de una extensión de $125 millones con los Raiders de Oakland. CBS Sports le preguntó cómo gastaría su primer cheque. Sus respuestas sorprendieron a los fanáticos de los deportes en toda la NFL.

"Ir a Chick-fil-A.... Probablemente comeré algo de Chick-fil-A. Pero, no, lo primero que haré es pagar mi diezmo como lo he hecho desde que estaba en la universidad", dijo Carr acerca de sus planes reales.

PARADIGMA DEL POTENCIAL

DAR ES UNA PRUEBA DE TU CONFIANZA EN DIOS Y DE UN MAYOR ÉXITO EN TU FUTURO.

SAMUEL TRUETT CATHY, FUNDADOR CHICK-FIL-A

Todos los estacionamientos están repletos sin lugar para estacionarse. El carril doble directo está lleno de autos, y el personal está afuera tomando pedidos adicionales en tabletas. El lugar está lleno de gente esperando comprar un sándwich de pollo Chick-fil-A.

¿Por qué esta cadena de comida rápida está prosperando mientras que otros parecen estar disminuyendo?

No mucho después de que se abriera la primera ubicación, Cathy se casó con Jeanette, una mujer joven a quien había conocido siendo un niño repartidor de periódico. Jeanette y Truett Cathy habían estado diezmando desde que eran niños y tenían la intención de continuar a lo largo de sus vidas. Cathy decidió no solo diezmar su dinero, sino también su tiempo. Eventualmente, fue un paso más allá y decidió hacer lo que yo llamo Diezmo Revertido.

En lugar de diezmar un diez por ciento y vivir con un 90 por ciento, se comprometió a diezmar el 90 por ciento y vivir del 10 por ciento.

Cathy también acredita la inspiración para honrar el Poder del Diez a Sir John Templeton, el máximo experto en inversiones financieras y creador de Templeton Funds. Templeton le dijo a su público que la recomendación más segura y la que paga el mayor dividendo es el diezmo. Cathy una vez le preguntó a Templeton por sí mismo: "Confirmó la declaración y agregó que nunca había conocido a nadie que hubiera diezmado durante diez años que no haya sido recompensado".

"He observado 100,000 familias durante mis años de asesoramiento de inversión. Siempre vi una mayor prosperidad y felicidad entre esas familias que diezmaban que entre aquellas que no lo hacían ". -Sir John Templeton, el mayor inversionista del siglo XX.

DE LA CRISIS A SOLUCIONES DE REINO

Durante demasiado tiempo, la iglesia local ha estado en la Unidad de Cuidados Intensivos financiera, en soporte vital, debido a la falta de recursos financieros.

La mayoría de las iglesias tienen el potencial de tener un impacto significativo, pero están funcionando en un estado paralizado porque carecen de los fondos necesarios para ver realmente la transformación en su región. Tristemente, debido a la falta de educación financiera, la mayor parte de la congregación carece de finanzas personales para apoyar la obra local de manera significativa. Así que "un dólar" o lo que llamo "ofrendas de George Washington" se convierten en la norma. ¡Esto tiene que cambiar!

El cambio debe comenzar en los corazones de nuestros estimados y preciosos pastores que no deben permitir que el espíritu de mammon les impida entrenar, enseñar y educarse a sí mismos y a sus seguidores acerca del tema del dinero. Es hora de que los pastores se den cuenta de que sus seguidores no pueden ascender más en su conocimiento que el de su pastor.

Es hora de que los pastores de Dios se pongan de pie y digan: "¡No voy a aguantar más la quiebra!" Y es hora de que las congregaciones quieran ver a sus pastores bendecidos financieramente por Dios, dándose cuenta de que la unción fluye de la cabeza hacia abajo, de acuerdo con Salmos 133:2 Entonces, si el pastor no es bendecido financieramente, la congregación como un todo no será bendecida. No es al revés.

¿CUÁL ES LA SOLUCIÓN?

Mi anhelo es inspirar a una generación de filántropos para que den el 10 por ciento de sus ingresos a la iglesia local a fin de impulsar económicamente un movimiento nuevo. Esto generará miles de millones de dólares para enfocarlos hacia la expansión del Reino y la difusión del Evangelio en todo el mundo. Yo llamo a esto, el poder del diez.

Uno de los mayores errores que muchas personas cometen es no entender cómo Dios bendice a un predicador cuando dan, en comparación con cómo Dios bendice a un individuo que está en el mercado laboral. A lo largo del Antiguo Testamento, las ofrendas del templo eran para apoyar al sacerdote y cuidar del mantenimiento del templo. Vemos esto en el verso más popular, pero más incomprendido sobre el tema en Malaquías 3:10. Simplemente, Dios bendice a los predicadores a través de las ofrendas recibidas.

Sin embargo, Dios usa un método diferente para bendecir y prosperar a quienes asisten a la iglesia. ¿Cómo? Al desatar ideas multimillonarias para resolver GRANDES problemas o cómo satisfacer las necesidades de otras personas. Dios hace esto al liberar soluciones divinas a problemas y oportunidades divinas.

Es por eso que quiero inspirar a millones de nuevos filántropos millonarios del Reino a dar el 10 por ciento de sus ingresos a la iglesia local con el fin de impulsar económicamente un nuevo movimiento.

PARADIGMA DEL POTENCIAL

LOS CRISTIANOS GANAN INFLUENCIA
DENTRO DE LA IGLESIA SIENDO
ESPIRITUALES. Y GANAN INFLUENCIA FUERA
DE LA IGLESIA AL TENER ÉXITO

IDEA MULTIMILLONARIA POR EL PODER DEL DIEZ

Uno de mis amigos tuvo problemas financieros durante muchos años. Él y su esposa acababan de comprar una pequeña granja con un huerto de manzanas en el patio trasero. Hacían todo lo posible por mantenerse al día con los pagos. Pero tuvieron un encuentro con Dios que les cambió la vida cuando aplicaron el poder del diez.

Camino al supermercado, mi amigo le pidió a Dios una forma de ganar más dinero para ayudarse en su situación. Mientras compraba en la sección de productos agrícolas, un vendedor de estantes veterano le dijo: "Muchacho, si alguien corta en trozos manzanas, sandías y otras frutas y las empaqueta para que las personas las compren, podrían ganar millones. Recibo solicitudes para ello todos los días".

Por supuesto, hoy decimos que es un negocio obvio, pero en aquel entonces nunca se había hecho. A través de este hombre que trabaja en el supermercado, mi amigo recibió una idea multimillonaria. Entonces él y su esposa comenzaron con las manzanas en su patio trasero. Hoy, brindan a su estado frutas frescas rebanadas todos los días.

Recuerda siempre, si puedes elegir entre un milagro de un millón de dólares o una idea de un millón de dólares, toma la idea. ¿Por qué? Porque las ideas de millones de dólares pueden crear millones de dólares. Un milagro inesperado de un millón de dólares generalmente solo ocurre una vez en la vida.

PARADIGMA DEL POTENCIAL

DIOS CONFIRMA SUS PRINCIPIOS
CON MILAGROS ASOMBROSOS

LA LLUVIA MILAGROSA EN PUERTO ELIZABETH, SUDÁFRICA

A la mañana siguiente, temprano, cuando salí del hotel, cayeron al suelo nubes de lluvia. Ese mismo día también comenzaron a llegar informes de personas. Cosas milagrosas estaban sucediendo en las vidas de diferentes personas en esa congregación.

No fue una sorpresa para mí. Dios siempre confirma sus principios mediante la liberación de milagros.

Antes de llegar a enseñar mi primera conferencia de Confianza para vivir sobreabundante, Puerto Elizabeth había estado sufriendo la peor sequía en más de 20 años.

Hablé sobre el poder sobrenatural del 10 en tres servicios dominicales, desafiando a la congregación a comprometerse a dar el 10 por ciento de sus ingresos a su iglesia local. ¡Los resultados fueron impactantes! ¡Más de 700 formularios fueron completados por personas que levantaron la mano para hacer ese compromiso!

Durante el final del último servicio, mientras hablaba, de repente vi una nube formándose en el cielo. Y escuché al Espíritu Santo decir: "va a llover". Le dije a la congregación que llovería debido a las decisiones que tomaron ese día. Cuando hacemos un compromiso, la providencia comienza a moverse.

Temprano la mañana siguiente, cuando salí del hotel, caían baldes de lluvia. Ese mismo día comencé a recibir informes de personas. Cosas milagrosas sucedían en las vidas de las personas de esa congregación.

Esto no me sorprende. Dios siempre confirma sus principios al desatar milagros.

CONFIANZA PARA SOBREABUNDAR

El 16 de marzo de 2001 fue el peor día de mi vida. Ese fue el día en que experimenté total devastación financiera, mental, emocional y espiritual. Para empeorar las cosas, las cosas se pusieron tan mal para mi esposa y para mí, tuvimos que vender todo lo que teníamos y mudarnos a la habitación de invitados de mi suegra. En muchos de mis eventos en vivo, bromeo que era un infierno viviente en la tierra.

Lo recuerdo como si fuera ayer. Verán, sabía en mi corazón que Dios me había destinado para mucho más. Sabía que se suponía que debía viajar por todo el mundo para hablar con miles de personas. Sentí que Dios me había destinado a estar en la televisión y la radio y que iba a ser un autor de éxitos de mayores ventas. Además, sabía que la Palabra de Dios me prometía éxito y bendición también.

Pero en ese momento de mi vida, nada estaba sucediendo. Estaba herido. Estaba sintiendo el dolor del potencial no realizado. Ese día, mi esposa y mi suegra habían salido de compras y mientras estaba sentado en el pequeño rincón del desayuno, las lágrimas comenzaron a caer por mi cara. No era una vista bonita. Te lo prometo, fue realmente feo. ¿Alguna vez has tenido uno de esos llantos feos? Bueno, eso es lo que me pasó.

Experimenté el dolor de mi propio potencial no desatado. El potencial es algo peculiar. El potencial no es lo que eres ahora, es lo que podrías ser. El potencial no es lo que estás haciendo en este momento, es lo que podrías estar haciendo. El potencial no es lo que tienes ahora, es lo que podrías tener en el futuro. No es a quién estás ayudando en este momento, es a quién podrías o incluso deberías estar ayudando.

Estaba sentado allí sintiendo el dolor de mi potencial sin explotar. ¿Sabes lo que hacen las personas con dolor? Llegan a la medicina. Algunas personas buscan comida o sexo. Otros buscan juegos de azar, bebida o drogas. Yo no. Adivina ¿cuál fue mi medicina de elección? Terapia de compras. Me convertí en un adicto a las compras intenso.

Iba al centro comercial y elegía un nuevo traje para hacer que me sintiera mejor. Entraba en una joyería y elegía un reloj nuevo y brillante.

Pero ese alivio era de corta duración. Recargué la deuda de tarjetas de crédito por una suma de más de $ 180,000. Como te puedes imaginar, había llegado al final de mí mismo (y mi límite de crédito también). Finalmente tuve suficiente.

La gente me pregunta: "¿Cómo diablos te permitiste entrar en esa condición? ¿No viste las señales de advertencia para obtener ayuda antes de adentrarte tanto en la deuda de las tarjetas de crédito? "¡Oh, sí! Sabía que estaba en problemas. Fui a los "Gurús financieros cristianos" que me enseñaron los peligros de la deuda, la importancia de ahorrar y cómo administrar mi dinero de forma adecuada. Tomé su consejo y centré mis esfuerzos en salir de la deuda. ¿Pero adivina qué? Cuanto más me enfocaba en salir de la deuda, más deuda tenía.

PARADIGMA DEL POTENCIAL

DONDE VA EL ENFOQUE FLUYE LA ENERGÍA.

Así que finalmente, sentado en el rincón del desayuno esa mañana, estaba en mi punto de quiebre. De hecho, fue mucho tiempo por venir. La vida siempre me pareció una lucha. Ciertamente no habría sido el legado por la mayoría de la gente como "el más probable a tener éxito".

Por ejemplo:

- Reprobé el preescolar y mi maestra me dijo que era "lento para aprender." Por años creí que ella quiso decir que yo era un tonto.

- Cuando cumplí 7 años de edad, mis padres se divorciaron. Me culpé a mí mismo y pensaba que sucedió porque yo era un niño malo.

- Para cuando estaba en el quinto grado, apenas podía leer y escribir y casi reprobé ese año.

- Cuando tenía 8, mi madre se casó con un alcohólico quien maltrataba verbal y psicológicamente a nuestra familia.

- Mi padre biológico se unió a una pandilla de motociclistas llamado los Escoltas de satanás y era drogadicto y alcohólico.

- A los 10 años de edad, fui atropellado por una motocicleta mientras andaba en mi bicicleta; mi pierna fue quebrada tan mal que los doctores dijeron que nunca caminaría sin una dificultad.

- Cuando tenía 16 mi padre me enseñó cómo vender drogas para ganarme la vida.

- Para cuando cumplí 22, nunca había leído un libro completo.

- A los 23 años quería ser un orador, pero mi pastor dijo que Dios no usaba a tipos como yo.

- Era tan inseguro a los 23 que tuve miedo de llamar a la compañía telefónica por cobrarme un exceso de $ 247.

- Cuando cumplí los 30, finalmente comencé a dar conferencias, pero a los 35 había fracasado miserablemente.

Y ese fracaso final nos devuelve al rincón del desayuno dentro de la casa de mi suegra. Sentado allí, solo, le grité a Dios: "¿Qué me pasa? ¿Qué me detiene para cumplir mi destino? ¿Por qué no puedo alcanzar mi potencial?".

Ese día, Dios me dio una respuesta que condujo al llamado de mi vida. A menudo, cuando Dios nos da algo, no es solo para nosotros, sino por el bien de los demás. Durante los siguientes tres años seguidos, mi ingreso se duplicó cada doce meses. Pasé de nunca estar en la televisión a aparecer en Fox News, ABC News, CBS News, TBN, Daystar y otras transmisiones importantes en todo el mundo. Fui entrevistado en docenas de programas de radio e incluso aparecí en la revista Women's World. De hecho, gentilmente me llamaron "el Coach Máximo de Estados Unidos", lo que todavía me hace sonreír hasta el día de hoy. (¡Si tan solo pudieran haberme visto en el rincón del desayuno!)

Nunca había escrito un libro, pero de repente, no solo había publicado un libro con la segunda editorial más grande del mundo, también el libro se convirtió en un éxito de mayor venta de

Amazon. Poco después, compré y me mudé a la casa de mis sueños. Empecé a llenar mi garaje con los autos de mis sueños también. Incluso quedé completamente libre de deudas sin ir a la quiebra, a pesar de que tuve una deuda de más de $180,000.

Durante mi quebrantamiento en ese rincón del desayuno, Dios me reveló algunas cosas que no solo cambiaron mi vida, sino que a su vez también han impactado a millones de personas y que van en aumento.

Dios dijo: "Keith, no tienes confianza". Honestamente, ¡pensé que había estado con mi suegra tanto que me estaba volviendo loco! Pero escuché. La humildad es el corazón de la enseñanza y yo era un hombre que había sido quebrantado. Empecé a estudiar este tema llamado la confianza y he seguido haciéndolo durante los últimos quince años.

La Escritura nos dice en hebreos 10:35:

"Por lo tanto, no pierdas tu confianza, porque te recompensará en abundancia".

Cuando aprovechamos el poder del diez, dando a Dios el primer 10 por ciento de todo lo que ganamos, nos estamos declarando a nosotros mismos, a nuestras circunstancias, al enemigo y al Cielo que nuestra confianza está en Dios.

Durante más de veintiséis años, he puesto a prueba este principio y me ha funcionado. He sido un hombre muy bendecido. Solo con la ayuda de Dios podría un niño que apenas podía leer y escribir experimentar la alegría y la abundancia que tengo. Te funcionará si tienes la confianza de dejar de aferrarte a lo que tienes en la mano. Recuerda, todas las cosas buenas vienen de Dios, así que lo que tienes en tu mano, Él lo puso allí.

EL DESAFÍO DEL PODER DEL DIEZ

La buena noticia es que puedes comenzar a maximizar tu potencial de riqueza de inmediato. Este mismo momento. Santiago 2:17 nos dice que la fe sin una acción apropiada no es fe en absoluto. Me gustaría lanzarte un desafío para que hagas las siguientes tres cosas ahora mismo:

1. Lee este PRINCIPIO y PROMESA llenos de FE en Malaquías 3:10: "Traigan todo el diezmo al alfolí, para que haya comida en mi casa. Ponme a prueba en esto ", dice el Señor Todopoderoso," y ve si no abriré las compuertas del cielo y derramaré tanta bendición que no habrá espacio suficiente para almacenarla ".

2. Ora esta ORACIÓN que libera FE: "Dios de la Abundancia, perdóname por una mentalidad de escasez. Perdóname por dudar y aferrarme al diezmo en lugar de honrarte a través de dar. Libero mi fe ahora y me comprometo a darte el diezmo completo. Gracias por abrirme las ventanas del cielo y proteger mi mente del

pensamiento de la clase media. Gracias por multiplicar la cosecha con mis semillas que he sembrado. Y gracias por proteger mis finanzas del enemigo mientras activo mi fe ahora."

3. Pon la FE en PRÁCTICA: Ahora es el momento de aprovechar el poder del diez dando regularmente a tu iglesia. Comienza con dar la primera vez, así que escribe ese cheque a tu iglesia o mejor aún, en línea, si está disponible en tu iglesia. Cualquiera que sea la acción apropiada, activa tu fe y da hoy.

EL PODER DEL DIEZ: DESAFÍO DE 21 DÍAS

Tu milagro está escondido en tus hábitos diarios. Tú Has escuchado que se necesitan 21 días para formar un hábito, al igual que a Daniel le tomó 21 días recibir una respuesta a su oración. El cambio, el verdadero cambio, no es un evento, es un proceso. Cuando cambiamos nuestros hábitos, cambiamos nuestro futuro. Es por eso que te invito a tomar el Desafío de 21 días.

Cuando aceptes el desafío, te guiaré a través de un proceso diario paso a paso para maximizar los beneficios que recibes de tener el poder del diez funcionando en tu vida.

Para tomar el Desafío de 21 días, ¡Encuéntrame en **KeithJohnson.tv/21Dias** ahora mismo!

ACERCA DEL AUTOR

EL DR. KEITH JOHNSON ES CONOCIDO MUNDIALMENTE COMO EL COACH DE LA CONFIANZA #1 DE AMÉRICA. En los últimos veinticinco años, ha capacitado a innumerables personas, iglesias, organizaciones y empresas sobre cómo aumentar su influencia, impacto e ingresos.

Hoy, el Dr. Keith Johnson quiere darte una copia GRATUITA de su éxito de mayor venta, Confianza de Vida: maximiza el resto de tu vida.

Visita **KeithJohnson.tv** para solicitar tu libro GRATUITO ahora.

INFORMACION DE CONTACTO

Keith Johnson International

PO Box 15001

Spring Hill, FL 34604

Teléfono: 352-597-8775

Booking@keithjohnson.tv

facebook.com/KeithJohnsonSpanish

Made in the USA
Lexington, KY
26 October 2019

56125643R00024